www.editionsmilan.com

© 1998 Éditions MILAN – 300, rue Léon-Joulin, 31101 Toulouse Cedex 9, France.
Droits de traduction et de reproduction réservés pour tous les pays.
Toute reproduction, même partielle, de cet ouvrage est interdite.
Une copie ou reproduction par quelque procédé que ce soit, photographie, microfilm,
bande magnétique, disque ou autre, constitue une contrefaçon passible des peines prévues
par la loi du 11 mars 1957 sur la protection des droits d'auteur.
Loi 49.956 du 16.07.1949
ISBN : 2.84113.603.5

Dépôt légal : 2e trimestre 2005

Imprimé en Belgique

animaux de la ferme

Illustrations de Catherine Fichaux
et Jean Grosson

MILAN
jeunesse

Sommaire

animaux de la ferme

Illustrations de Catherine Fichaux
et Jean Grosson

MILAN
jeunesse

Sommaire

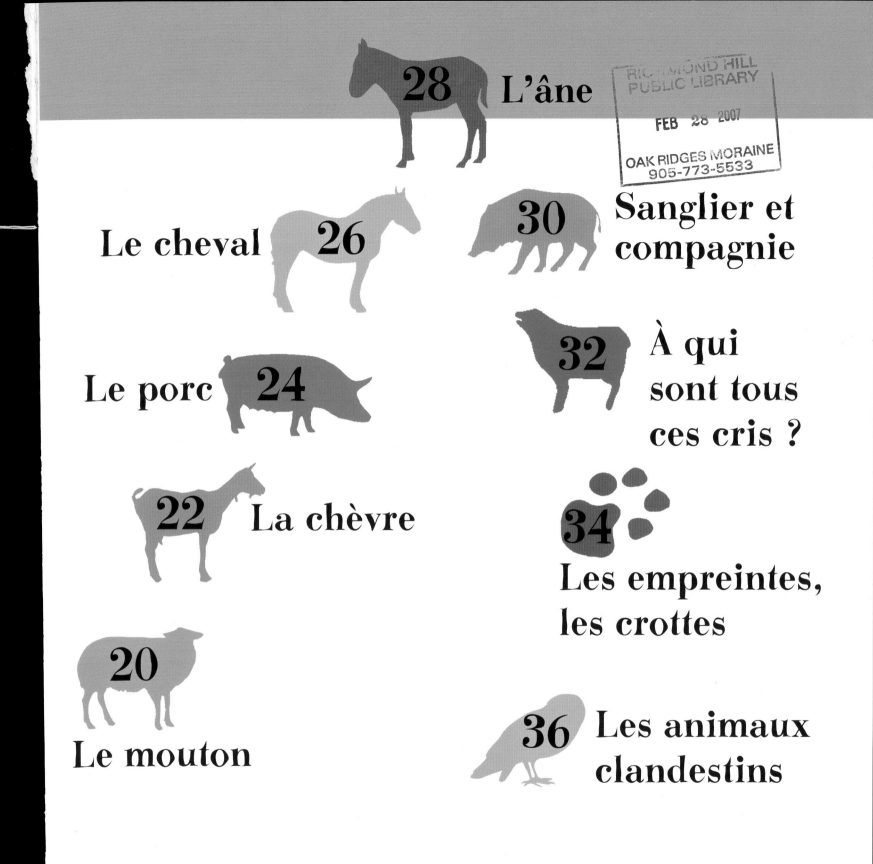

28 L'âne

Le cheval **26**

30 Sanglier et compagnie

32 À qui sont tous ces cris ?

Le porc **24**

22 La chèvre

34 Les empreintes, les crottes

20

Le mouton

36 Les animaux clandestins

8 La poule

On élève les poules pour leurs œufs ou pour leur viande. Dans certains élevages elles sont très nombreuses, regroupées dans des bâtiments fermés. Dans les fermes, elles vivent en plein air parmi les animaux de la basse-cour.

crête

bec dur et pointu

barbillons

Ses plumes colorées cachent un chaud duvet.

Pour chercher sa nourriture, la poule gratte le sol avec ses griffes.

La poule avale sa nourriture sans la mâcher car elle n'a pas de dents. Alors elle picore des petits cailloux qui l'aident à digérer.

pattes couvertes d'écailles

La poule vole mal car elle a de petites ailes pour un corps lourd.

griffe

Pour courir, la poule déploie ses ailes.

La poule lisse ses plumes pour les nettoyer.

Pour couver ses œufs, elle se couche dans la paille.

Les plumes hérissées, elle se roule dans la poussière pour se débarrasser des petites bêtes.

Le coq

La crête et les barbillons du coq sont plus développés que ceux de la poule.

petits yeux ronds

Le mâle de la poule s'appelle le coq. Il est plus gros et plus coloré que la femelle. Les coqs sont querelleurs et se battent entre eux pour les femelles.

Lui non plus ne sait pas voler.

Le coq dresse fièrement la tête, gonflant son jabot de plumes et montrant sa queue en panache.

Chaque patte s'appuie sur 4 doigts griffus.

Cette 5ᵉ griffe, l'ergot, est une arme redoutable. Lors des combats, elle peut être mortelle pour d'autres coqs.

Le cri du coq

Bien dressé, le cou tendu, le coq lance son « cocorico ! »

10 De l'œuf au poussin

Chaque jour, la poule pond un œuf, excepté en hiver. Quand elle en a pondu une quinzaine, elle se couche dessus et commence à couver. Si elle s'est accouplée avec le coq, il en naîtra des poussins.

Le jaune et le blanc sont entourés d'une coquille lisse, dure et fragile, qui se forme dans le ventre de la poule.

La naissance

❶ L'œuf se forme en 24 h. Pour pondre, la poule gonfle ses plumes, s'installe au-dessus de son nid et caquette bruyamment. C'est le bout pointu de l'œuf qui sort en premier.

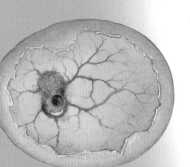

❷ Dans le jaune, une petite tache apparaît : c'est le germe, qui deviendra poussin. Le jaune est une nourriture très riche pour le poussin. Le blanc lui fournit l'eau.

❸ 15 jours après, le poussin est formé, recroquevillé et couvert de duvet.

❹ Au bout de 21 jours, le poussin éclôt. Il perce un trou grâce à la corne dure qu'il a au bout du bec, le diamant. Puis il casse entièrement sa coquille.

❺ Lorsqu'il naît, le poussin a les plumes encore mouillées, mais son duvet sèche vite. Il peut déjà trottiner et piailler. Il apprend aussitôt à picorer seul.

La poule couveuse

Durant 3 semaines, la poule couve pour garder ses œufs au chaud. C'est l'incubation. Pour se développer, le poussin a besoin de chaleur. Avec son bec, la poule retourne régulièrement ses œufs pour chauffer le dessous.

Le canard

Les canards vivent dehors, près d'un point d'eau.
Ils sont élevés pour leur viande et leurs plumes.
L'été, ils perdent leurs anciennes plumes
qui sont remplacées par de nouvelles :
c'est la mue. On fabrique des oreillers
et des couettes avec
leur duvet.

Son bec plat
est muni
d'une rangée
de fausses dents
pour manger
l'herbe et d'un
peigne pour
filtrer les petits
animaux
dans l'eau.

Près de sa queue, une
glande fabrique de l'huile.
Pour rendre son plumage
imperméable, le canard
prend de cette huile avec
son bec et lisse ses plumes.

doigts reliés par une peau solide

Ses pattes palmées
sont utiles pour nager.
Mais il marche
maladroitement
en se dandinant.

À l'intérieur de l'œuf fécondé,
un caneton grandit.

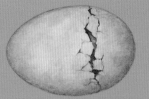

Le caneton fendille son œuf
avec le bout de son bec pointu.

Puis il sort de sa coquille,
tout mouillé.

La cane

narine

La cane est la femelle du canard. Elle couve ses œufs pendant 28 jours. À 2 jours, le caneton prend déjà son premier bain dans la mare. À 3 semaines, son duvet commence à tomber, remplacé par de belles plumes.

Mâle et femelle n'ont pas la tête et le bec de la même forme. La cane est plus petite et a des couleurs plus ternes que le canard.

Plus gras que les canards sauvages, le canard de ferme ne vole pas bien loin malgré ses grandes ailes.

Il voit, entend, tient debout et marche dès sa naissance.

Il suit la cane et les autres canetons jusqu'à la mare.

14 Les autres volailles

Il y a d'autres volailles que la poule
et le canard : dindon, oie et pintade
vivent aussi dans la basse-cour.
On utilise leurs œufs,
leur viande et leurs plumes.

Le dindon

Il porte une espèce de petite
trompe rouge qui se gonfle quand
il glougloute. Avec son bec court
et recourbé, il picore graines
et insectes. En écartant les plumes
de la queue, le dindon fait la roue
pour plaire aux femelles.

trompe

caroncule

**La dinde est plus petite
et n'a pas de « trompe ».**

La basse-cour endormie

Il fait nuit sur la ferme et la basse-cour. Tout semble calme.
Les canards sont au repos dans leur cabane tandis que
les oies dorment sous un autre abri. Pintades et dindons
préfèrent se percher. Les poules sont bien installées
dans leur poulailler et n'aiment pas être dérangées.
Dès la tombée du jour elles se perchent et s'endorment.
Mais à l'aube le coq est le premier levé : il réveille toute
la ferme de son chant matinal.

Si une oie a peur,
elle tend le cou, baisse
la tête et siffle.

La pintade

La pintade a une drôle d'allure avec
son plumage à petits pois et son
« casque » sur la tête. Elle mange
du grain, des insectes,
des escargots et des
bulbes. Elle aime
se percher
pour dormir.

caroncule

*pattes orange
et palmées*

L'oie

Trop lourde pour voler, l'oie de ferme
préfère marcher au sol. Les oies,
qui apprécient l'herbe fraîche, sont
de véritables tondeuses. Le mâle
de l'oie s'appelle le jars. Il peut
s'interposer pour protéger sa femelle.
Attention ! Il mord.

**La pintade n'hésite pas à attaquer la poule
pour lui voler son grain !**

16 Le lapin

Couvert de poils soyeux, le lapin est une vraie peluche. Il se laisse facilement caresser. Mais méfiance ! avec ses grandes incisives, il peut mordre. On apprécie sa chair mais certains, comme le lapin angora, sont élevés pour leurs poils longs et très doux avec lesquels on fait des pull-overs.

Pour mieux entendre, il agite ses grandes oreilles et les tourne du côté d'où vient le bruit.

grandes oreilles

Le lapin doit user ses dents qui poussent continuellement. Alors il grignote du bois.

Il se déplace en bondissant à l'aide de ses longues pattes arrière qui se détendent comme un ressort.

longues pattes

Petit lapereau deviendra grand

Les lapins naissent nus et aveugles. Mais il leur faut peu de temps pour ressembler à leurs parents.

À 5 jours, le lapereau est couvert de poils fins comme du duvet.

À 10 jours, sa taille a doublé.

À 15 jours, il voit bien et sait se déplacer.

La lapine

Les lapins font beaucoup de petits. La lapine peut avoir 4 portées par an. Elle met au monde 6 à 10 bébés à chaque fois. À la naissance, les lapereaux sont sourds, aveugles et nus. Ils ouvrent les yeux au bout d'une semaine.

La lapine fait ses petits dans un nid douillet qu'elle garnit de poils très doux, arrachés de son ventre.

Durant les 40 premiers jours, les lapereaux boivent le lait de leur mère. Ensuite, ils mangent comme leurs parents.

La lapine possède 10 mamelles : 2 rangées de 5.

18 La vache

Pour chasser les mouches, la vache agite la queue dans tous les sens.

Les vaches sont de la famille des bovins et vivent en troupeaux. On les élève pour leur lait et pour leur viande. Le mâle s'appelle le taureau. Le bœuf est un mâle qui ne peut pas faire de petits car il a été opéré ; ainsi il grossit plus vite.

La mamelle de la vache s'appelle le pis.

Le lait s'écoule par les 4 trayons.

Plus grand et plus fort que la vache, le taureau a les cornes plus grosses. Alors qu'on engraisse les bœufs pour leur viande, on élève les taureaux seulement pour la reproduction.

Le lait

La vache ne donne du lait que si elle a eu un veau. Une fois son petit sevré, elle continue à produire du lait si on la trait. On peut le boire comme ça ou en faire du beurre, des fromages, des yaourts...

Chez la plupart des races, vaches et taureaux ont des cornes. Souvent on les coupe lorsqu'ils sont jeunes pour éviter qu'ils ne se blessent.

Pour brouter, la vache enroule sa langue autour d'une touffe d'herbe et l'arrache.

Quand la vache a brouté beaucoup d'herbe fraîche, elle se couche pour ruminer : la nourriture qu'elle a avalée lui revient dans la bouche et elle la mâche longtemps pour mieux la digérer.

Ses sabots, en corne, sont formés de 2 « doigts ». On reconnaît facilement leur empreinte laissée dans la boue.

Toutes différentes

Il y a en France plus de 40 races de vaches, différentes selon les régions. Les races laitières donnent beaucoup de lait : la normande, l'abondance, la tarentaise…
Les races bouchères sont meilleures pour la viande : la charolaise, la limousine, la blonde d'Aquitaine…

la pie noire

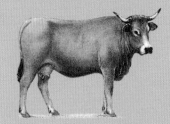

l'aubrac

la gasconne

la normande

20 Le mouton

Il en existe de nombreuses races, toutes de la famille des ovins. La plupart du temps, les moutons vivent dehors dans des prairies clôturées. Mais les races de montagne vivent en liberté dans les alpages.

Toujours en troupeau, ils font tous la même chose en même temps. Si l'un d'eux s'enfuit, tous les autres le suivent en bêlant.

Compter les moutons

On compte en France plus de 30 races de moutons. En voici quelques-unes : la basco-béarnaise donne beaucoup de lait dont on fait du fromage ; on élève le mérinos et le bizet pour leur laine ; le mouton vendéen est connu pour sa viande.

le bizet

toison

Les moutons broutent toute la journée :
n'ayant des dents que sur la mâchoire
inférieure ils ne peuvent pas mordre.

Généralement,
on coupe la queue
des moutons quelques
jours après leur
naissance. Ce n'est pas
douloureux.

sabot bien dur

Les poils
du mouton
forment une toison
de laine qui pèse
2 à 3 kg. À la fin
du printemps,
on la coupe avec
une tondeuse.
Le mouton se
retrouve tout nu,
mais la laine
repousse vite.

Le père des agneaux s'appelle le bélier.
Il porte souvent des cornes qu'il utilise
pour se défendre.

La mère des agneaux, la brebis,
n'a pas toujours des cornes.

La chèvre

Le mâle s'appelle le bouc et leur petit le chevreau. Ils appartiennent à la famille des caprins. On utilise le lait de chèvre pour fabriquer du fromage. On peut aussi le boire.

poil rude

Quand les petits ont 4 jours, on les sépare de leur mère et on les nourrit au biberon. On peut alors traire la chèvre. Puis, à l'âge de 3 ou 4 semaines, les chevreaux regagnent le troupeau.

La mamelle a 2 tétines.

Grignoter les feuilles des arbres est un vrai plaisir pour les chèvres. Elles choisissent les plus tendres et apprécient aussi les écorces des jeunes arbustes.

barbe

pampilles

Le fromage de chèvre

Il existe en France des centaines de fromages différents, aux formes et aux goûts variés. Les fromages de chèvre sont nombreux : crottin, bûche, cabécou, chevretine…

Plus gros que la chèvre, le bouc a aussi un poil et une barbe plus fournis. Son odeur est très forte. Mâles et femelles peuvent avoir des cornes.

Les chevreaux (2 ou 3 par portée) sont très joueurs. Ils courent, ils sautent et font parfois des bonds sur place. Ils aiment grimper et faire semblant de se battre, tête contre tête.

Le porc

On appelle le mâle le verrat, la femelle la truie et les petits, les porcelets.
Le cochon est un mâle qu'on a opéré et qui ne peut plus faire de petits.
Il devient ainsi beaucoup plus gros.

La truie peut faire plus de 2 portées par an, de 10 à 14 porcelets. Elle a 7 paires de mamelles. Chaque petit tète toujours à la même mamelle.

Le porc est omnivore, c'est-à-dire qu'il mange de tout : graines, fruits, épluchures, petits animaux…

**Les premiers jours on place la mère dans un enclos, car elle est si grosse qu'elle pourrait étouffer ses petits en se couchant.
Les porcelets peuvent aller téter. Pour qu'ils aient bien chaud, on les installe sous une lampe chauffante à infrarouges.**

Pas si cochon que ça !

Le cochon a la réputation d'être sale.
Pourtant, les cochons sont naturellement propres. Ils se réservent un coin pour dormir et font leurs besoins ailleurs. Bien sûr, ils se roulent dans la boue, mais c'est pour se rafraîchir car ils ne transpirent pas.

Sa peau est couverte de petits poils, les soies, avec lesquels on fait des brosses.

Le bout de son museau est plat et percé de 2 narines : c'est le groin.

mamelle

Les porcelets aiment beaucoup jouer entre eux.

Le cheval

toupet

Autrefois, c'est lui qui tirait la charrue et les charrettes. On trouvait dans les fermes des races de chevaux lourds, très robustes : les chevaux de trait.
De nos jours, le cheval sert dans quelques régions, comme la Camargue, à rassembler les grands troupeaux de bétail.

Les 6 premiers mois, le poulain
se nourrit du lait de la jument.
Il broute déjà à 2 mois,
mais juste un peu,
pour imiter sa mère.

L'étalon est le père du poulain.
Il vit dans un pré avoisinant.
On ne met pas plusieurs étalons ensemble,
car ils risqueraient de se battre.

Ses longs crins poussent
en permanence.

criniere

Avec sa queue,
il chasse les mouches.

Le cheval doit
user ses dents,
qui poussent
continuellement.
Il coupe l'herbe
avec celles
de devant, puis
la mâche avec
celles de derrière.

Attention aux doigts !

Les chevaux aiment qu'on leur
donne des friandises : quartiers
de pommes, carottes…
Mais on doit toujours demander
l'autorisation au propriétaire.
Il faut poser la nourriture bien
à plat sur la paume de la main
et la présenter sous son nez.
Prudence ! l'animal ne voit
pas s'il mord la carotte…
ou les doigts.

Ses sabots sont
recouverts de
corne. Celle-ci
pousse sans arrêt,
alors on la taille
régulièrement.
Il faut aussi
la protéger
avec un fer.

28 L'âne

Autrefois, l'âne portait
des charges, comme les sacs
de blé, et tirait les charrettes.
Aujourd'hui, c'est devenu
très rare. Parfois,
il promène encore
les enfants sur son dos.

Le papa de l'ânon s'appelle l'âne.
Il vit séparé de l'ânesse dans un pré voisin.
Lorsqu'il brait, on entend de loin son cri
rauque et perçant.

L'âne se nourrit d'herbe.
Manger des plantes
piquantes ne l'effraie
pas et il se régale
s'il trouve un chardon.

Quelle mule !

Le croisement d'une
jument et d'un âne donne
un mulet (ou une mule
si c'est une femelle).
Le bardot (ou la bardine
pour la femelle) est
le petit d'une ânesse et
d'un étalon. Comme l'âne,
le mulet brait. Comme
le cheval, le bardot hennit.

Son pelage généralement gris ou marron
peut porter une marque foncée sur le dos.

poils longs et très doux

C'est un animal très
résistant qui parcourt
sans peine de très
longues distances,
même sur les chemins
caillouteux
des montagnes.

petit sabot

L'ânon vient au monde

L'ânesse se couche sur le côté.
Son ventre est très gros.
Parfois le vétérinaire
l'aide à mettre bas.

❶ L'ânon commence par sortir
les pattes avant. Puis vient la tête.
Et enfin, tout le corps.

❷ Aussitôt sa mère
le lèche, et l'aide à se lever
en le poussant du museau.

❸ Dès qu'il tiendra debout,
il prendra sa première tétée.

Sanglier et compagnie

grosse tête conique

Il existe aujourd'hui en France des élevages de sangliers ou de bisons. On apprécie leur viande, moins grasse que le bœuf ou le mouton.

À l'état sauvage, il vit dans la forêt. La nuit, il parcourt des kilomètres en quête de nourriture.

Pour élever les sangliers dans de bonnes conditions, on les installe dans de grands espaces clôturés, boisés de chênes ou de châtaigniers.

défense ou boutoir

Gibier à poil et à plume

On élève également des faisans, des cailles, des chevreuils, des daims… Certains sont vendus pour leur viande : les bisons, par exemple, cousins américains de la vache. Ils ont besoin de grands espaces pour brouter et galoper en troupeaux. D'autres, comme le faisan et la caille, sont lâchés dans la nature quelques jours avant l'ouverture de la chasse. D'autres encore, tels que le daim, ornent les parcs des châteaux.

le faisan

le bison

pelage hirsute

Des bébés en habit rayé

Les marcassins grandissent près de leurs mères, les laies. Leur pelage change de couleur avec l'âge. Leurs défenses apparaissent vers 2 ou 3 ans. On les appelle alors des « ragots ».

Avant 6 mois, les marcassins sont rayés de beige et brun.

De 6 mois à 1 an, le sanglier est une « bête rousse ». Ses soies sont couleur fauve.

De 1 à 2 ans, c'est une « bête de compagnie » ou « bête noire ».

Des brosses de tous poils

Les sangliers sont élevés pour leur viande, mais pas seulement. On utilise aussi leurs poils pour en faire des brosses à dents, des balais, des brosses à habits…

À qui sont tous ces cris ?

Chaque animal a un cri bien particulier, souvent facile à identifier. Et chaque cri porte un nom différent qu'il est amusant de connaître.

Meuh !

La vache meugle.

Cocorico !

Le coq chante ou coqueline.

Ouah, ouah !

Le chien aboie.

Miaou !

Le chat miaule.

Iiiiiiiiiii !

La souris chicote.

Cot cot cot codette !

La poule caquette.

Hiiiiiiiiiiiiiii !

Le cheval hennit.

Grrron-rrrron !

Le porc grogne
ou grouine.

Mêêêêêê !

La chèvre bêle
ou béguette.

**Hi-han,
hi-han !**

L'âne brait.

Bêêêêêêê !

Le mouton bêle.

**Coin-coin,
coin-coin !**

Le canard cancane.

34 Les empreintes, les crottes

Même quand les animaux sont partis, on peut déceler leur passage. Il faut observer l'empreinte de leurs pas et aussi leurs crottes, toutes différentes.

la vache

bouse de vache

le chien

Les empreintes

Plus la terre est humide, plus les empreintes s'impriment clairement sur le sol. Les plus belles se trouvent souvent dans la boue. Pour voir de magnifiques empreintes, il faut scruter la terre après la pluie ou observer les abords d'un point d'eau.

le chat

le coq

crottes de souris

la poule

le cheval

le porc

la chèvre

crottin de cheval

crottes de chèvre

le mouton

l'âne

crottes de mouton

le canard

Les crottes

Voici une autre sorte d'indices. En regardant très attentivement par terre, que tu sois dans une cour de ferme ou dans les prés, tu découvriras sûrement des crottes d'animaux. Chaque espèce a des crottes reconnaissables. Celle de la vache par exemple, la bouse, est une des plus faciles à identifier.

Les animaux clandestins

La ferme abrite aussi beaucoup d'animaux que l'on n'a pas invités. Ils vivent là, tout près des hommes, car ils y trouvent confort et nourriture.

la souris

La souris grise mange tout : papier, graines, fromage, fruits... On retrouve la marque de ses dents sur le savon et même sur le plastique... Elle laisse sur son passage ses petites crottes noires et ovales.

le renard

Le renard vit dans les bois, mais il s'aventure volontiers dans les fermes, espérant trouver le poulailler ouvert et de bonnes poules à croquer. Mais comme la porte est souvent fermée, il se contente de mulots, souris et autres campagnols.

la mouche

Avec ses 6 pattes à ventouses, elle peut courir sur le plafond. Très agile, la mouche peut se retourner d'un seul coup. Elle a 2 ailes transparentes pour voler.

gros yeux

la chouette

Dans les granges ou les greniers, on peut apercevoir une chouette effraie sur son nid. La nuit venue, la dame blanche s'envole en quête de mulots et de souris à croquer.

face blanche

la pipistrelle

ergot corné

Cette chauve-souris, la plus petite d'Europe, vit souvent près des fermes. Elle vole la nuit, chassant les insectes. Le jour, elle dort dans un trou de mur.

l'araignée

L'araignée qui tisse sa grande toile fine dans un coin sombre de la maison s'appelle la tégénaire. Elle guette la première mouche qui tombera dans son piège. N'aie pas peur ! elle ne pique pas.

le lérot

Il ressemble au loir, mais on le reconnaît bien avec son masque noir. Gourmand, il profite de la nuit pour grignoter les fruits du verger. Durant la journée, il dort dans les granges et les greniers.

queue en pinceau